KB096675

공간, 디자인, 그리고 기록

에이미의 포트폴리오

에이미 권

대한민국 2차 베이비붐세대 출생

(사회 문화적으로는 X세대라고 함)

평범한 초, 중, 고 학창생활.

산업디자인 전공.

20대 시절, 응답하라 시리즈에 나오는 장소에서 잘 놀았음. (신촌, 홍대 지역의 만화 가게는 내 사랑방) 패션, 유통업계에 취직하고 열심히 일함. IMF라는 국가적 위기로 인해 집안 경제 사정이 어려워짐. 잘 다니던 회사에서 정리해고 당함. 취업도 힘들고 인생의 흑역사 시기가 펼쳐졌는데, 이때 동대문 쇼핑몰 기획실에서 일하게 됨.

30대 시절. 프리랜서에서 일이 많아지면서 개인 사업자로 전환. 일해서 돈 벌면 여행을 많이 다님. 일할 때 힘들면 여행갈 생각하며 또 열심히 일함. 2003년부터 블로그에 한 일들을 사진 찍어 올리고 기록함.

MBTI는 INTP. 예술인이 역마살이 있는 사주라고 함. 아플 때 빼고는 늘 돌아다니며 일했고, 40대엔 남편 직장때문에 이 나라 저 나라로 이사를 다니며 살게 됨. 현재 미국 노스캐롤라이나에서 평범한 인생을 살고 있는 중.

가족관계로는 개성 강하고 역마살이 나보다 센 남편과 푸들 2마리가 있음.

카카오톡ID violetlifetour

유튜브 youtube.com/@violetlifetourkwon1912

이메일 522violet@kakao.com

블로그 https://blog.naver.com/522violet

공간,
디자인,
그리고
기록

프롤로그

안녕하세요.

미국 노스캐롤라이나 샬럿이란 도시에 살고 있는 권영아(Amy Kwon)라고 합니다. 이곳 미국에서는 리테일 패션샵의 부매니저로 일하다가 지금은 건강상의 이유로 쉬고 있어요. 저는 한국에서 약 20여 년 가까이 패션몰 공간을 기획하고 디자인하는 일을 했어요. 2003년부터 계속 블로그에 제 일과 생활(LIFE PORTFOLIO)을 사진과 글로 일기처럼 기록해 왔습니다. 그런데 최근 이 블로그 사이트가 경영악화로 폐쇄가 되고 말았습니다. 방대한 양의 사진과 글 등이 계속 기록되어 왔었는데 참으로 난감하였지요.

그래서 기록을 정리해서 남기고 싶었어요.

처음에는 책으로 다른 분들께 보여드리기가 부끄러웠습니다. 제 블로그 사이트는 그 시절 제 클라이언트들에게 상담용으로만 거의 보여 드렸었거든요.

저는 회사의 조직 생활을 하다가 2000년대 초반부터 프리랜서로 작은 일부터 시작했었는데 그 당시의 저는 모든 것이 서툴러 실수를 많이 했었어요. 회사에서 정해진 매뉴얼로만 일을 하다가 실전을 해보니 거의 맨땅에 헤딩 수준이었어요. 그러나 하나하나 주어진 일을 해 나가면서 결과를 만들어냈고 저를 믿고 일을 의뢰해 주신 클라이언트(주로 패션산업 종사자)가 완성된 공간 안에서 영업을 하시게 되고 그분들 성장하는 모습을 보면서 저도 함께 성장했어요. 그래서 그 과정을 솔직히 보여드리고 싶었어요.

저에 대해 조금 더 이야기를 드리자면, 젊은시절(20대) 패션 및 유통회사의 기획실에서 근무를 하다가 IMF로 직장에서 해고 당한후 우연히 동대문의 쇼핑몰 기획실에서 일을 하게 되었어요. 이후에 패션몰과 상가들의 실내 디자인을 주업무로 하는 개인 디자인 스튜디오를 운영하게 되었습니다. 그때가 2000년대 초반이었고 한국의 도소매 패션몰이 비약적으로 눈부시게 발전하던 시기였습니다.

2000년 이후 재래시장 형태의 도매 패션 시장은 현대화 작업을 많이 꾀해서 깨끗하게 디자인, 리모델링을 많이 실행하였습니다. 그리고 도소매를 겸한 패션빌딩들도 많이 지어지고 생겨나서 분양및 임대도 활발하게 이루어졌어요. 그래서 신규 입점자들

및 기존 도소매 상인들의 FASHION SHOP DISPLAY, INTERIOR DESIGN 및 VISUAL MERCHANDISING 등의 일이 엄청나게 넘쳐났어요.

이 책은 그 시기(2005~2015)에 제 블로그에 기록된 내용으로 사진은 제가 디자인 시공한 공간들 중의 일부입니다. 여러 가지 현장 에피소드들도 함께 이야기를 실었어요. 땀 흘리는 공간에서 느끼는 보람, 어려웠던 점, 공사마감에 쫓겨 허둥대던 일, 사건 사고들, 그리고 함께 일한 사람들 등도 글로 써보았어요.

Interior 사진은 완성된 공간의 조명설치, 장식소품의 데코레이션, 행거의 배치, 그래피티 등 많은 아이디어들을 사진으로 보실 수 있어요. 현장에서 일어났던 일 에피소드도 조금 실었습니다.

Display 사진은 주로 마네킹의 코디네이션 연출 사진이에요.

3D DESIGN 시안에는 제가 클라이언트와 미팅 및 계약 시 쓰여졌던 설계 도면을 조금 실었습니다.

Behind story에는 주로 현장 진행 중의 사진과 일어난 기억나는 에피소드와 요즘 하는 생각 등이 쓰여 있어요.

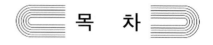

목 차

INTERIOR

실무자 TIP

✓ 집을 공사하는 경우: 설계에 들어가기에 앞서 건축법의 위반 사항을 점검한다. 살면서 증축이나 개보수를 하며 최초 준공 도면과 다를 경우가 있는데 이를 잘 살펴 보아야 한다.

✓ 아파트의 경우: 관리사무소에 가서 아파트 관리규정을 점검한다. 구청 주택과에 가면 현장의 준공 도면을 열람할 수 있다.

✓ 복합상가 안의 샵을 공사하는 경우: 상가 관리사무소나 상가의 방재실에서 관리규약 및 공사 시방서를 점검해야 한다.

✓ 공사 시방서란? 공사를 실행할 때 일정한 순서, 규칙 등을 정리해 놓은 문서로 제품 또는 공사에 필요한 재료, 그 종류와 품질, 사용처, 시공방법, 제품의 납기, 준공 기일 등 설계도면에 나타내기 어려운 사항을 명확하게 기록해놓은 문서이다.

=타3 층 현장/그래피티 작업중/2006년

개별 샵 디자인.시공 / 인테리어 쿨

두산타워 프로젝트

2005년-2006년/3층전체 리모델링공사

디자인,시공/포럼 유(FORUM U) 공동프로젝트

저에게 의미가 큰 프로젝트이기 때문에 설명을 드리고 싶습니다. 동대문 쇼핑몰의 기획실에서 근무 후 바로 프리랜서가 됐고 의뢰인들의 크고 작은 일들의 의뢰가 많았습니다. 처음엔 도소매 부스 안의 디스플레이 의뢰였어요. 그분들은 하얗고 네모난 부스(약 2평 정도)안에서 영업을 하셨는데 본사에서 설치해준 기본조명과 기본 인테리어(흰색 페인트로 벽마감)만 설치돼 있었어요. 그 안에서 점주들은 사업하거나 직접 만든 옷들을 벽에 촘촘히 걸고 판매를 하셨습니다.

전 작은 공간이지만 포인트 조명을 달고 소품을 설치하고 그 옷들을 컬러에 맞게 코디네이션해서 걸어드리고 간판을 예쁘게 만들어 걸어드리거나 옷걸이도 맞추고 마네킹을 분위기에 맞는 것으로 교체하거나 했어요. 파는 제품과 공간 컨셉이 어울릴 수 있도록 여러가지를 설치해 드렸는데 예쁘게 정리되게 꾸며놓으면 매출이 뛰어오르니 많은 상인들이 저를 찾았습니다. 제가 작업한 공간들을 보고 점주들의 소개를 받아 로드샵의 디스플레이도 하며 일을 계속 하다가 2005년쯤 VMD 담당으로 일하자는 제안을 받게 됐어요.

두산타워 3층을 전체 작은 부스들을 철거하고 구좌를 넓혀 새

롭게 조닝을 구성하고 입점자들도 새로 구성하여 활기차고 쾌적한 분위기로 오픈을 한다는 계획이었습니다. 제가 다른 쇼핑몰 오픈때 미리 해 본 기획하는 일들이기에 제안을 수락하게 되었어요.(2005~2006년)

그 프로젝트는 5개의 인테리어 회사가 함께 협업해서 전체 기획안을 만들었고 입점자들을 개별 상담을 하여 내부 부스들도 인테리어 기획을 하여(약 6~8개월 간의 준비기간을 거쳐) 144개의 점포 인테리어 시공 및 공영 부분(복도, 화장실, 휴게실, 기타 전체동선)까지 공사하여 오픈하게 된 프로젝트입니다. 함께 모인 회사들은 프로페셔널한 인테리어 및 건축회사들이었어요.

저는 VMD 담당으로 깍두기같은 존재로 합류를 했으나 144개의 점포를 감당하기엔 너무나 일손이 부족해 그중 14개의 점포를 VMD와 함께 병행해 인테리어를 하게 됐어요. 이런 설명을 드리는 이유는 그 프로젝트 이후 제가 많은 성장이 있었기 때문입니다.

큰 구역을 조닝별로 나누고 입점되는 옷의 스타일에 따라 점포 위치를 선정하고 입점자들 개개인의 샵을 인테리어 및 디스플레이를 기획하고 시공까지 하는 일은 정말 많은 에너지를 요하는 일이었어요. 그때는 많은게 서툴러서 이런저런 갈등이 생기면 소심한 성격때문에 잠을 못자기도 하고 해결을 어떻게 할까 전전긍긍이었죠. 그렇게 고민하며 인내하고 생각하고 때론 타협하며 일을 해 나갔고 지혜를 많이 터득했습니다.

특이한 점주님들의 성격때문에 현장에서 큰소리가 나는 경우도 있었고 인테리어 회사끼리도 가끔 의견 타진이 잘 안되기도 하고 시공 막바지엔 모두가 지쳤으나 그래도 우리 모두가 의기투합하여 하나가 되어 훌륭하게 전체공간을 완성했어요.

오픈 후 상가는 그야말로 대박이 나서 오픈한 점주님들의 얼굴은 정말 환하셨지요. 그후 두산타워는 계속적인 리모델링을 통한 변화를 꾀했습니다.

저는 이후 인테리어 시공을 전문으로 하는 스튜디오를 운영하게 되었고 인테리어에서 VMD까지 실내 공간 디자인을 하는 업체로 성장할 수 있었습니다.

소개드리는 사진은 제가 합류된 조닝(BIC CITY JUNK ZONE-캐쥬얼 의류판매조닝)과 정장의류를 파는 조닝(WALL STREET ZONE)의 일부입니다. 중간에 찍은 사진도 있고, 마감에 쫓겨 밤을 꼴딱 새고 오픈날 준공청소를 하고있는 도중 간발의 시점에 찍은 사진도 있어요. 모든 사람들이 오픈날 아침엔 비몽사몽 제정신은 아니었답니다. 제 사진들이 다 어수선한 이유는 사진을 잘 못 찍는 제 이기도 하지만 저는 늘 현장에서 마감에 쫓겨 허둥대기 일쑤이기 때문에 사진이 거의 다 어수선합니다. 그 와중에 두산타워 프로젝트는 친한 동생이 아마추어 사진작가여서 중간중간에 사진을 찍어달라고 부탁했고 그 친구가 찍은 사진들이 기록으로 잘 남게 됐어요.

BIC CITY JUNK ZONE은 도시 뒷골목의 낡고 빈티지한 모습을 만들고자 했습니다. 캐쥬얼한 패션 스타일을 파는 ZONE이었는데 리얼 빈티지를 표현해 내느라 전국 고물상, 폐차장, 옛날 폐가를 철거해서 분류해 파는 곳과 심지어는 전봇대를 만

드는 곳까지 전국 방방곳곳을 돌아다니며 소재를 사들여 만들었습니다. 전봇대는 고유의 번호까지 부여되는 나라의 산업 디자인이라 설치하지는 못했죠.

백화점 시공을 전문으로 하는 인테리어 회사들은 우리의 작업을 보고 썩은 나무나 붙이는 이상한 디자인 업체들이라고 생각하던 시절입니다.(실제로 그런 이야기를 전해들었었어요)

전 20대 때 백화점에 입점된 영국 브랜드의 VMD 담당으로 일한 경험이 있었는데 당시엔 영국에서 온 매뉴얼을 그대로 번역해 일했었어요. 인테리어 시공도 본사에서 정해진 매뉴얼대로 하고 VMD 소품도 영국 본사에서 보내준 것을 그대로 설치했어요. 그래서 회사생활은 재미없고 좀 지루하다고 생각을 했었지요. 잘 갖춰진 매뉴얼에 따라 일했던 그 회사는 일이 체계적이었고 급여도 안정적이고 좋은 직장이었어요. 그러나 들끓는 저의 창작욕(그땐 젊었습니다^^)을 점점 쇠퇴하게 하기도 했어요. 그러다가 실직 후 프리랜서로 일하던 중 덜컥 하게된 두산타워 프로젝트는 호기심많고 아무것도 모르는 철부지 디자이너를 기획에서 시공까지 모든 과정을 부딪히며 경험하게 해주었고 저를 많이 성장하게 해주었어요.

유어스 1층 나인틴 매장
2006/09/02

안양 의류샵 남성복 인테리어, 디스플레이
2006/09/26

디자이너클럽 1% 2006년

스 MJ SHOP

2007년

실력 있는 기술자들과 함께 일하면서 성장해야 한다

   현장에는 늘 기술자들이 작업하러 옵니다. 전 사실 그 기술자 없이는 아무것도 잘 하지 못하는 사람이었죠. 기술자마다 천차만별이라 그 결과가 다르게 나오는데, 항상 하던 기술자가 안 오고 다른 분들이 오시면 가끔 결과가 제 마음에 안 들거나 하자가 나서 클라이언트에게 책망을 듣기도 했어요.

   프리랜서 초창기엔 자칭 목수(목공 작업자)가 제 현장에 와서 톱질도 잘 못하는 경우도 있었고, 페인트 작업자가 얼룩지게 페인트를 칠해놓은 적도 있었죠. 그때 전 깨달았어요. 내 현장의 결과는 내 실력만이 아니라 그들과 함께 만들어가야 한다는 것을. (어느 날의 현장 일기 – 어떻게 하면 더 잘 할까?)

디자이너클럽 3층 맥 스톨로지
2007/05/15

에이피엠 힙
2007/06/13

디자이너클럽 3층 오뜨
2007/06/13

안산 로드샵
2007/08/31

가방 전문 도매샵 시에나
2008/02/11

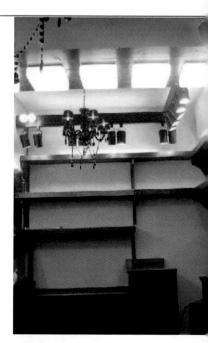

내 현장에 대형 사고가 터지고야 말았다!

2008년 정도쯤이었나? 현장에서 마무리공사를 할 때였어요. 현장 세팅 막바지에 직원 5명정도가 모두 투입돼 공사 마무리가 한창이었어요.

설비 사장님이 스프링쿨러 작업을 하려고 사다리를 타고 올라가서 손을 움직이는 순간, 뭔가 퍽! 하는 소리가 나서 고개를 올려서 보니, 엄청난 수압의 물이 사방으로 분수처럼 콸콸 치솟고 있었습니다.

악! 저는 놀라 소리를 질렀는데 직원들도 물세례를 제대로 맞고 있었고, 가구며 연장이며 다 젖고 있었어요. 폭포가 쏟아지는 느낌이었어요. 순식간에 바닥에 1, 2센치정도 물이 차오르며 다른 현장으로 흘러갔습니다. 설비사장님은 물 폭포를 바로 가까이 맞고 사다리에서 거의 떨어질 뻔 하셨어요.

건물 전체엔 에에앵~~ 큰소리로 사이렌이 울려 퍼졌습니다. 거센 물줄기는 정말 무서웠습니다.

제가 그 순간을 슬로우 비디오처럼 기억하는 것은 너무 충격을 받아서일 에예요. 한 30초에서 1분동안 버퍼링이 걸린 듯이 저도 물세례를 맞으며 멀뚱하게 서서 그 상황을 쳐다만 보다가, 어느 순간 정신이 번쩍 들면서 동시에 직원들에게 소리를 질렀습니다.

"얘들아! 각층 화장실 비품실로 가서 커다란 파란 통하고 바가지, 쓰레받이 갖고 나와서 바닥물 쓸어 담아! 5명이니 흩어져! 다 차면 화장실에 버려, 빨리!!" 거의 비명을 질렀어요. 그러고 나서 저는 현장의 보안 요원에게 뛰어갔어요.

보완요원들이 사이렌 소리에 뭐야? 하며 허둥대며 있었는데 "스프링쿨러 파이프 잠궈 주세요. 제 현장에서 스프링쿨러가 터졌어요! 빨리요!!!"라며 그들에게 소리를 질렀어요.

그분들이 무전으로 방재실에 잠그라고 전달하는 모습을 확인하고는 밖으로 미친 듯 뛰어나가 1분거리 편의점에서 걸레와 수건을 마대 자루 하나 가득 샀어요. (현장과 가까워 거의 철물점처럼 쌓아놓고 걸레를 파는 곳이었음) 마대자루를 하나 가득 집어 들고 "이거 전부다 주세요!"라고 말하니 알바생이 얼마인지 모른다 하더군요. 주머니에서 있는 현금을 전부 다 주며 "모자라면 더 준다고 사장님께 말해주세요. 현장에 사고가 나서 그래요!"라고 말하고 걸레를 껴안고 현장으로 내달렸습니다.

아뿔싸! 역시나! 이미 입구까지 물은 흐르고 있었습니다. 저는 미친듯이 안으로 뛰어들어가며 물이 들어오니 당황하는 다른 현장 작업자들에게 소리를 질렀어요. "여러분 제 현장에서 스프링쿨러가 터졌어요. 죄송하지만 이 걸레로 물을 함께 닦아 주세요옷!!"라며 복도를 가로지르며 소리를 지르며 뛰면서 걸레를 던져댔어요.

3~5분이 지났을까. 사이렌이 멈추고 파이프의 물은 다 빠져나왔고, 바닥의 물은 잡히기 시작했습니다. 모든 사람들이 함께 물을 퍼내고 닦아대니 거짓말처럼 물이 없어지기 시작한 거죠.

물길이 잡히는 것을 보고 직원들에게 아래층으로 내려가 천정 누수 자국을 확인하라고 지시한 후 저는 바닥에 철퍼덕 주저앉았습니다. 약 10분의 시간이 지나 있었어요.

당시 제일 먼저 든 생각이 '아, 어지럽고 목마르다'였어요. 당분과 카페인이 급 필요했답니다. 전 콜라 2박스를 주문했어요. (동대문은 여름시즌 리모델링 기간에 얼음과 차가운 음료를 1분 안에 배달해줍니다) 놀란 직원들과 벌컥벌컥 마시며 주위 사람들에게도 나누어 드렸습니다.

함께 닦아내느라 다 너무 고마웠고 문제가 생기면 다 변상하겠다고 이야기도 드렸어요.

우리 현장 직원들과 제 꼬라지는 그야말로 비 맞은 생쥐 꼴이었는데 우리가 현장 수습하는게 안쓰러웠는지 인테리어 실장님들과 현장 관리자들이 저에게 한마디씩 했습니다.

"권 실장님 괜찮아요. 우리 현장에서도 일어날 수 있는 일이라구요. 물 마르면 바닥 본드칠 다시 할테니 너무 걱정 마세요."라며 다들 걱정말고 가서 다른 일 수습하시라 하셨어요. 가슴이 찡 하고 너무나 고마웠어요. 전 그제서야 눈물 콧물이 막 쏟아졌죠.

한편, 아래층을 확인해보니 누수는 2군데 부스 안이었어요.

친한 회사 실장님이 다른 현장서 난리통 소식을 듣고 이쪽 현장으로 오셨는데, 거의 넋이 나간 저를 본 후 다른 빌딩현장에서 일하고 있는 페인트 사장님에게 전화를 했어요. "페인트 하던 거 중지하고 이쪽 상가로 좀 와요. 여기 스프링쿨러 터져서 난리났어. 권 실장 진짜 불쌍하다. 이쪽에 와서 페인트칠 좀 해줘요!"

이후 페인트 사장님이 옆 현장에서 달려와 아래층 누수를 점검해 보시고 현장 진단 후 하신 말씀은, "물이 많이 안 흘러갔어요! 쬐끔 스몄네요. 참 다행이네. 저 정도는 드라이로 좀 말리고 빠데하고 유성페인트로 땜빵하면 돼요. 저한테 재료 다 있어요!"

그분들이 바로 누수 현장으로 투입되었고 누수 얼룩은 1시간 만에 해결이 됐습니다. 아래층 인테리어 담당자와도 통화 후 해결됐고요. (똑같이 해 놓으면 상관도 안한다는 쿨한 대답)

한편, 이 일은 그 패션 상가 빌딩 최고 관리자에게까지 보고가 되었는데, 누수로 인한 공용 공간의 시설(전기시설 및 냉난방 기계, 공기순환장치 등) 및 개별 상가도 그로 인한 문제점들이 일어나면 모든 손해를 청구하겠다는 무시무시한 통보를 그들로부터 받게 되었습니다. 그 해, 그 상가는 모든 시설들을 새로 바꾸는 리모델링 공사 중이었고 공사를 다 끝내 놓은 상태였거든요.

그렇게 공포의 2일이 지나간 후, 상가 오픈 때 공용 및 개별 상가 안의 공간의 기계 및 조명 등을 확인하니 정상으로 멀쩡히 잘 작동되더랍니다.

　온 우주의 기운이 나한테 온 건가? 라고 생각할 정도로 불행했던 사고를 다행으로 해결해버렸던 그 사건. 도와주신 모두에게 대대손손 좋은 일이 가득하시길 바라는 마음입니다. (2008년 여름, 잊을 수 없는 현장 사고.)

〈여기서 잠깐! 실무자 TIP〉

　설비 공사 때 방재실에 가서 현장상황을 다시 한번 살핀다. (우리 현장이 전층 공사현장 중 가장 마지막에 설비공사를 했는데 방재실에서 다 끝난줄 알고 스프링쿨러 파이프에 물을 채웠다고 함. 다른 현장은 그 전날 설비공사를 다 끝냈다고 함. 확인을 철저하게 했었어야 했어요.ㅜㅜ)

　현장에서 일어날 사고를 대비한 준비를 철저히 하고 수습 시 나리오를 짜놓자. (그래야 골든타임 안에 수습이 가능하다)

디자이너클럽 4층 블루걸
2008/02/11

뉴존 니씨
2008/08/10

디자이너클럽 니막스
2008/08/10

에이피엠 아마시아
2008/08/16

유어스 이응
2008/08/16

유어스 보헤미안
2008/08/25

유어스 토모 아키라
2008/08/25

갑과 을. 미국은?

공사를 할 때 많은 계약서를 씁니다. 갑은 이렇게 하고 을은 이렇게 하고 뭐라뭐라 써 있는 계약서 말이지요. 클라이언트와 도 계약하고 들어가는 쇼핑몰과도 계약을 합니다. 그대로 이행하며 진행하게 되지요.

2014년 쇼핑몰에 공사를 들어갔는데 제가 업체를 등록하니 계약서를 내밀며 읽어보고 사인을 하라고 했어요. 일종의 서약서 같은 건데, 내용 요약을 하자면 개별 상가 공사하다가 사고 나면 쇼핑몰에선 책임 안 진다 뭐 이런 내용이었고, 강화된 안전 매뉴얼이었어요.

'제 현장은 제가 지키겠습니다'라며 다짐하며 사인했는데, 그러고나서 다시 저한테 내미는 공사 일정표 및 시방서. 읽어보니 공사 기간이 처음 공지한 거 보다 일주일이나 앞당겨진 거예요.

일정도 다시 짜야 하고, 작업자들과 타이트하게 날짜 조정하면서 섭외해야 하고 목공 공장도 더 빨리 하라 재촉해야 하고 서둘러야 하니 한숨이 푹푹 나왔죠. "그렇게 하면 작업자들이 너무 고되서 집중력이 떨어져 안전사고 난다구요!"라고 주장하고 싶었지만, 울며 겨자 먹기로 사인해야만 했어요.

후에 알고 보니 옆 쇼핑몰에서 리모델링 공사를 하다가 작업자가 사망하는 사고가 일어나서 문제가 커졌다고 합니다. 이 때문에 안전에 관한 매뉴얼이 더 강화되었죠. 책임자는 안전교육도 아침마다 받아야 했고, 작업자 모두는 안전모 및 안전화를 잘 챙겨야 하고 지켜야 할 규칙도 많아졌어요.

관리자는 아침마다 작업자 리스트도 제출하고 그분들의 신분도 다 확인했어요. 안전 매뉴얼 지키기를 강화한 건 좋았습니다. 그러나 그 리스크를 무조건 우리에게 떠넘기는 서약서를 쓰게 하고 공사기간의 단축 통보까지…. 그건 너무나도 속상했어요.

다른 이야기이지만, 공사관련 에피소드가 이곳(미국 노스캐롤라이나)에도 있습니다.

이곳 미국(노스캐롤라이나)에서 한국인 쇼핑몰(대형마트) 사장님(갑)이 미국 회사(을)와 공사 도급 계약 후 공사를 진행하며 공사를 진행하다가 소통이 잘 안 되서 소송에 휘말린 일이 있어요.

이유는 현장 시공시 설계와 다른 약간의 변경 공사의 요구를 미국 회사에 했는데, 미국 회사는 그 비용을 한국 사장님에게 엄청난 비용으로 추가 요구하였다고 해요. 한국 사장님 입장에서는 크게 현장이 달라진 것이 없는 거 같고 시간도 많이 지체 되어 오픈도 연기되고, 그 비용까지도 말도 안되게 올라갔으니 이런저런 상황을 점검하려고 공사비 지급을 미루었다고 합니다. 그러자 미국 회사는 돈을 안 준다며 일을 하다 말고 그냥 철수했습니다.

미국 회사가 이야기하기를, 수정하는 공사를 하기 위해 인허가를 다시 받으려고 설계도를 다시 만들고 관공서에 제출하면서 기다려야 했고, 설치해놓은 것은 철거하고 다시 뜯어내야 했으며, 새 설계도로 시공하느라 인원도 다시 맞추어야 하고, 자재도 사야 하고 달라진 일정도 조정해야 하고 이런저런 돈과 시간이 엄청 더 들었는데 그 초과된 비용을 세세히 하나하나 다 청구한 모양입니다.

미국회사는 변경사항을 실행하기 전, "앞으로 이렇게 됩니다"라는 것을 한국 사장님한테 전혀 설명하지 않았다고 해요. (OK! NO PROBLEM 하며 별거 아니라는 듯 일했다고 합니다) 다 하고 나서 엄청난 금액을 추가 요구한 거죠.

저는 생각했죠. 한국 같으면 돈이 그렇게 들어가면 설명을 해줘야 하는데. 요구한다고 다 해주고 나중에 비용 청구하면 못 받을 수도 있는데. (제가 그런 경우가 있었거든요 ㅜㅜ)

그러나 여긴 미국이고 일을 하면 돈을 청구함이 당연하고, 일을 시킨 경우에는 돈을 지급함이 당연한 거였어요. 한 마디로 공짜 거래는 없는 것이죠.

양쪽 다 변호사를 선임하고 법정 공방전에 들어 갔으나, 갑이었던 한국 사장님이 불리하셨던 모양이에요. 결국, 양쪽 변호사만 이 일로 인해 돈을 버는 상황.ㅜㅜ

이곳 한국 사장님은 이후 다행히 실무자와 조율을 잘 하시게 됐고 (비용의 손실은 발생했다 해요.) 공사도 마무리가 되어 이곳에서 무사히 마트를 오픈하게 되었으며, 현재 영업도 잘 되고 있어요. 또 이 지역의 대형 아시아 마트로 지역 경제 활성화에도 크게 기여하고 계신답니다. (같은 을이지만 미국은 을이 너무 당당해서 부러워서 써본 이야기.)

뉴존 니씨
2010/02/17

청평화 5층 제이레이스
2010/06/21

에이피엠 캣츠
2010/08/16

에이피엠 핀
2010/08/16

두산타워 지샵 리모델링
2011/03/15

주택 공간의 리모델링을 하게 된 사연과 직접 해보고 겪은 이야기

지금 포트폴리오 사진 중에는 부암동 사진과 대전 은하 빌라 리모델링 사진이 실려 있어요. 제가 십여 년 전 건강이 악화되어 수술한 적이 있습니다. 허리 디스크에 문제가 생겨 수술을 하게 되었는데, 수술 후 회복을 위해 몇달을 허리보호대를 하고 쉬는 시기가 있었어요.

아픈 것도 아픈 거였지만, 일을 안하니 지루하고 심심했어요. 저는 이미 그때 제 집을 작업실로 제 라이프스타일에 맞게 리모델링하여 지내고 있었습니다. 반지하 주택 월세, 낡은 한옥 구옥 월세, 오피스텔 월세를 거쳐 주택(빌라)을 구매 후 리모델링 했죠.

제 블로그를 보시고 포북출판사란 곳에서 연락이 왔어요. '아파트가 아니어도 좋아'란 책을 기획하는데 제 집을 소개하고 싶다고 말이지요. 그래서 제가 리모델링한 공간이 그 책에 소개가 되었습니다. 그 집은 빌라지만 천정이 높은 특이한 구조를 갖고 있었고, 전 그 장점을 이용해 디자인 했습니다.

그때가 약 15여년 전인데, 부동산 시장이 엄동설한과 같이 얼어붙어있던 시기에 일어난 일입니다. 저는 늘 다른 사람들이 안 움직일 때 집이나 사무실 공간을 얻곤 했는데, 한겨울에

세를 구하면 월세가 5만원이든 10만원이든 더 싸게 얻을 수 있었고, 보증금이 부족해도 한겨울에 세가 안 빠지는 집주인과 건물주를 설득해 계약하곤 했어요. 그리고 제가 그 당시 살게 된 집도 부동산 불경기에 매수하게 된 집이었어요.

당시 불경기가 너무 심하니 정부에서는 부동산 부양책으로 각종 규제를 풀고 여러가지 세금의 혜택도 볼 수 있게 바뀌어 가는 중이었습니다. 경제신문을 보면 광고란에 늘 전원주택 분양 광고나 타운홈 형태의 주거단지 또는 별장과 펜션 세컨 하우스 등의 건축의 붐도 일어나고 진행 중에 있었어요. 자본이 있는 개발업자나 대기업들은 불경기에 부동산을 구입해놓고 개발하고, 호경기 때 팔아서 많은 이윤을 내므로 그때 든 생각은 얼마 후 경기도로 서울 인구가 많이 빠져나갈 수도 있겠구나 싶었습니다.

저는 건축 및 분양 또는 직접 내 집을 짓는 것은 어떻게 하는 걸까 궁금증이 생겼어요. 저를 고용했던 수많은 건물주 또는 상가 분양 담당자, 상가를 분양 받거나 임대한 패션샵 점주들과 부동산 시장 및 금융은 어떻게 움직이는지도 더 알고 싶어졌어요.

저는 공인중개사인 제 친구에게 도움을 받아 함께 학원을 다니며 함께 공부를 시작했어요. 집에서 병자 모드로 지루하게 지내는 건 적성에 안 맞았지만, 무리를 해서 일을 할 수도 없어서 수업을 일주일에 2회, 몇 시간씩 공부하고 사람들도 만나고 그러면서 천천히 걷기 운동도 하니 일석이조였습니다.

공부를 하면서 부동산 토지, 주택, 상업 공간 등을 신축하거나 구옥을 리모델링할 때 세심히 살펴야 하는 것이 관련 법이고, 이는 디자이너에게도 중요한 팁이라고 생각했습니다. 제가 건축법을 잘 몰라서 건축법을 위반한 적도 있었는데, 관련 법을 공부한 뒤 문제를 해결하기 위해 지자체 담당자에게 찾아가서 위반 사유를 소명한 적이 있어요.

당시 저는 제가 사는 빌라의 기존의 낡은 샷시를 교체했는데, 건축법 위반이라고 고발을 당했습니다. 구청 주택과에 가서 준공 도면을 열람해보니 세탁실과 빨래를 건조하는 배란다 공간이 건축 준공 시에는 빌라의 공용부분이었다는 사실을 알게 되었습니다.

법대로 철거하면 담을 타고 도둑이 들 수도 있고 외풍도 심할 텐데 하는 걱정이 들었습니다. 아마도 관련법을 공부하지 않았다면 그 또한 그 전 건축주(소유주)와도 분쟁거리가 되지 않았을까 하는 생각이 들었어요. 그전 건축주가 이미 샷시를 설치해 놓은 것이 너무 낡아서 새 샷시로 교체 했는데 옆집이 이를 불법 건축이라며 신고를 하게 되어 지자체에 위반 사항으로 적발된 케이스였습니다. 당시 다음과 같은 여러가지 처리 방법이 있었어요.

1. 처음 이 집을 지을 당시의 준공 도면대로 샷시 구조물을 철거한다.

2. 철거를 하지 않는다. 가능하다면 합법적으로 사용을 한다.

3. 소송을 통해 불법 건축을 그 전 건축주가 했다고 증명하고, 그 전 건축주에게 피해보상을 받는다. 그리고 철거하거나 사용한다.

구청 주택과의 담당자에게 가서 확인하니 현장 실사를 나오셨어요. 보시더니 위반한 면적을 측정해보시고 이행강제금을 납부하고 사용하면 철거하지 않는다고 했습니다. 그 집을 지은 건축주(그 전 소유주)에게 사정을 물어보니 그 건축을 할 때 옆집 살던 분이 자기네 집 쪽으로 생활 소음이 들리지 않게 샷시로 막으라고 요구해서 그래서 막게됐다고 그러셨어요. 이후 다른 분이 이사 오고 나서 저에게 불법이니 철거해라 요구했던 것이죠.

세월이 흐르며 상황이 바뀌게 되어 제가 건축법을 어기게 된 케이스인데, 하나 하나 해결방법에 대해 제가 가장 손실이 적은 쪽으로 해결해야겠다고 생각했어요.

저는 책임 소재를 따져봤자 매도를 한 그 전 건축주가 피해보상을 해줄리도 만무하고 철거한다면 철거비와 사용 공간의 손실이 일어나므로 공간을 살리는 쪽으로 선택을 하게 되었습니다. 이행강제금을 내고 사용을 하는게 좋겠다고 결정했어요. 나중에 그 집을 팔 때도 그 일들을 공인중개사에게 잘 설명 한 후 매도했습니다(구청에 낸 이행 강제금 영수증을 매수인에게 잘 전달함. 혹 구청의 실수로 이중 부과가 될 수도 있다는 점을 알려 드림.)

그런 경험을 통해 여러가지 주택의 리모델링에 관련된 법을 더 잘 알 수 있게 되었습니다.

안양 멀티샵 에스플랜
2012/06/07

클라이언트의 과도한 요구가 있을 때는 단호한 거절이 정답!

요즘 가스라이팅인지 나르시시스트인지 그런 이야기들이 유튜브에 많이 나오더군요. 저에게도 그런 경험이 있어요. 고약한 클라이언트를 만난 적이 있어요. 클라이언트는 예쁜 백화점의 인테리어 사진을 보여주며 똑같이 만들어달라고 하셨어요. 원하는 디자인의 집기가 뒷판 없이 뻥 뚫려 있었는데 작고 예쁜 가방들이 한 개씩 디스플레이 되어있었죠. 전 이 모양이 독특해 만들기 쉽지는 않으나 만들어 보겠다고 했어요.

그런데 견적을 내는데 이분이 너무 많이 깎는 겁니다. 그분은 상인회의 간부라 했는데 저를 이리 구슬리고, 저리 부탁하고 어찌나 심하게 여러 번 부탁을 하던지 전 수락하고 말았어요. 견적을 무리하게 깎았음에도 귀신에 홀리듯 사인을 하고 말았지 뭐예요. 그런데 일은 후에 이상하게 돌아갔어요.

공사 중간에 계약서에 명시한 날짜에 중도금을 안 부치더니, 전화도 안받고 잠수를 타셨고 일주일 뒤 중국에 갔다 왔다고 하면서 핑계를 대고 계속 중도금 지급을 미루었습니다. 저는 공사를 중지하지도 못한 채 불안한 진행을 계속 해야만 했고, 결국 공사 직전 중도금을 부치는 겁니다.

그러더니 이것저것 많은 얼척 없는 사항을 화내듯이 요구했습니다. 잔금을 빌미로 트집 잡으며 추가 공사를 더, 더, 더 하며 얼쩍 없는 요구를 또 다시 하고. 이에 저는 잔금이 걸려 있으니 어쩔 수 없이 또 진행하게 되고, 저는 뭔가 잘못 돌아간다는 확신이 들었어요. 결국, 저는 그만 하고 법의 도움을 구하기로 했어요. 소송을 진행했어요.

제가 폭언(잔금 문제 이야기하러 전화하면 화내고 폭언)과 억지주장(트집잡고 설명하면 듣지도 않음 다른 이야기로 화제를 돌림), 회유(이 일 하면 돈 줄 것처럼 구슬러 대답을 얻어냄)에 시달리자 우리 변호사가 그 분과 통화를 시도했어요. 그러지 말라고요. 그랬더니 변호사인지 모르고 우리 쪽 변호사에게 욕설과 협박성 멘트를 또 하는 거 아니겠어요. 어디다 전화질이냐고 또 욕을 퍼붓는 거예요. 우리 쪽 변호사는 혀를 끌끌 찼어요. 너무 안 좋은 사람 같다면서요.

그런데 진짜 소장을 받고 나서는 저에게 선생님이라는 존칭으로 급 변경하더니 목소리도 고분고분하게 미안하다는 둥 하더군요. 횡설수설한 핑계를 또 대는 겁니다.ㅜㅜ

저는 머리가 너무 아파 상대하기가 싫었어요. 요구사항을 변호사 사무실을 통해서 서면으로 간단하게 전달하라고 했어요. 그렇게 법의 판단에 맡기고 신경을 꺼버렸죠. 재판이 진행되는 동안에는 판사님 앞에서는 하루 벌어 하루 산다고 눈물을 흘리며 울면서 온갖 불쌍한 척 드라마 같은 연기를 했다고 변호사님이 재판과정을 알려주었어요.

소송을 진행하면서 그 상가의 인허가 관련 문제점도 발견하고, 구청 건축 담당자, 서울시 주무관까지 만났었는데 알면 알수록 첩첩산중의 행정적 큰 문제들이 발견되기도 했어요. 이를 신문사에 제보하기도 했었죠. (아쉽게도 기사화되지는 않았지만요)

재판은 1년 뒤 끝나고 돈을 일부 받게 되었습니다. 입증이 좀 힘들었지요. (여기 미국 같으면 을의 괴롭힘 당함이 인정될 수도 있었을 테지만 위력에 의한 행위로 부당한 일을 강요당한 것이었는데 그런 손해배상은 저에게 적용되지는 않았어요.) 억울했지만 그 상황에서 빠져나오게 되어 기뻤죠.

나중에 알고 보니 결제관계가 깨끗하지 못한 사람으로 공사 업체들마다 그런 식으로 일을 부렸는데, 몇 억씩 또는 십억 이상의 안 갚은 미수금이 걸려 있다고 했어요. 그분에게 법적으로 대응한 사람은 저밖에 없었던 거 같아요.

저는 이 일을 겪으며, 단단히 결심했습니다. 무리한 요구를 하면 거절하자라고요. 나르시스트인지 가스라이팅인지 이제 더는 안 흘릴 거라구요! (2013년, 현장에서 일어난 사건.)

부암동 다세대주택
2012/10/01

동대문 퀸즈 어썸
2013/02/07

부암동 마당집
2013/06/02

에이피엠 럭스 캣츠
2013/06/23

공간, 디자인, 그리고 기록

여름공사 유어스샵
2013/11/30

현장에서 사다리가 사라지는 이유를 알게 되다!

여름시즌 휴가 철마다 대대적 리모델링을 하며, 우린 공통적인 고질적으로 일어나는 사건을 알게 됐어요. 바로 현장에서 사다리가 하나씩 없어지고 있다는 사실이에요. 현장에서 뭐든 조금씩 없어지기도 해서, 연장에 제 회사이름을 써놓기도 했던 저는 그런 일이 있다고 들을 때마다 사다리 바닥 부근에 표시를 하자고 사람들과 이야기하곤 했어요. 모두 빨간색, 파란색 표식 등 표시를 하기 시작했어요. 저 또한 제 사다리에 노란색 페인트로 표시를 해 놓았었죠.

몇달 뒤 사다리 도둑을 알아냈다는 기쁜 소식이 들렸어요. 선배 회사의 감리자가 마감 시간대 모두의 작업 차량의 트럭 뒷부분을 한동안 샅샅이 조사하고 훑었다고 해요. 그러던 어느 날 모 디자인 실장님이 짐을 싣고 있는데, 가까이 가서 보니 본인이 표시해 놓은 사다리가 떡 하니 있더랍니다.

"이게 왜 여깄냐?"고 따지니 그 사다리가 자기네 것이라며 되려 화를 내길래, 왼쪽 하단의 본인이 해 놓은 표시를 가리키며 "이거 우리 것이다, 내놓아라!"라고 따지셨다 해요. 이 후 사다리에 표시 해 놓은 다른 회사들이 우르르 몰려가 그 회사 창고까지 가서 확인해서 분실 물건을 많이 찾아냈다지요? 우리의 탐정 기술이 발휘된 순간이었죠.

모 디자인 실장님! 훔치는 건 좀 너무 했잖아요? (2006년, 무더운 여름날의 탐정 사건.)

부암동
2014/01/30

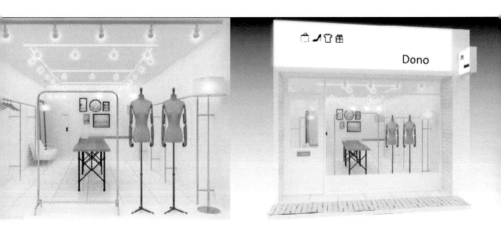

안산 로드샵 도노
2014/05/26

대전 은하빌라 복층집
2014/04/29

공인 중개사가 되신 클라이언트

2013년, 제 블로그를 보시고 대전에 빌라를 소유하신 클라이언트를 만나게 되었습니다. 총 가구수가 14호실로 된 한 동 짜리 빌라였어요. 임대가 안 되어 건물이 텅텅 비어있었고, 한 채를 고쳐서 전세라도 주려 했는데 그마저도 잘 안된다는 것이었어요. 제가 대전에 가서 현장을 둘러보니 주택이 낡았고 세입자 관리, 주택 관리가 안 되어서 지저분했어요. 그러나 집은 튼튼하게 잘 지어진 집이었어요. 새로 고친 한 채의 집은 디자인이 좀 맞지 않았습니다. 작은 평수의 집이었는데 주방이 과도하게 컸고 옵션은 하나도 없었습니다.

조사해보니 대전 구도심의 빌라촌 젊은 인구는 세종시로 많이 빠져나갔고, 그들은 편리하게 살 수 있는 오피스텔을 선호한다는 것을 알 수 있었어요. 대전권은 세종시와 충북 청주, 충남 공주와도 가깝고 외지인도 많이 오갈 수 있겠다 싶었는데 그들의 라이프스타일을 고려한 디자인을 하여 리모델링하자고 클라이언트를 설득했어요. 세입자들이 원하는 서비스가 무엇인지를 면밀히 살펴 이 동네 빌라 분위기와는 다른 전략을 짜기로 했습니다.

오피스텔처럼 가전제품(세탁기 냉장고 등)을 옵션으로 넣어드리고 작은 가구들(테이블 및 옷장, 무드등)도 배치해드리고 마무리로 예쁜 데코레이션 소품으로 장식했어요. 베란다에는 빨래 건조대 설치와 빨래 바구니 등도 놓아드렸습니다. 안방 엔 붙박이장 설치를 해드리고 입구 신발장도 키워서 수납도 용 이하도록 바꾸었습니다. 디자인은 기능적이고 예뻐야 하고, 잘 팔리도록 해야한다는 것이 제 디자인 방향이었고 그렇게 세 입자의 욕구(want)를 파악해 리모델링하게 되었죠.

인테리어는 주방과 화장실을 집중적으로 했는데, 주방의 크 기는 오히려 조금 축소하여 테이블 위치를 확보했어요. 요즘 젊은 커플 또는 싱글들이 요리를 거의 밀키트로 하거나 사먹거 나, 배달 음식을 먹기때문에 큰 주방보다는 기능적인 동선과 최신 주방용 기계를 선호하니 당연히 큰 주방은 필요 없을 것 이라 판단했고 공간을 확보해 2인용 식탁을 놓았습니다. 입주 자는 본인이 쓸 옷가지와 이불, 그릇만 가져오면 살 수 있는 풀 서비스 디자인으로 개조했어요. 케이블 TV도 연결해서 TV는 입주자가 기본으로 볼 수 있도록 서비스 해 드리기로 했어요.

아울러 복도 및 공용 공간에 대한 청소 서비스도 주기적으 로 해야 한다고 조언해 드렸습니다. 월 4회 정도 주기적으로 정리를 하고 깨끗한 환경을 유지하도록 청소해야 함을 가이드 해 드렸습니다.

그대신 월세를 다른 빌라 주변 시세보다는 높게 받고 경쟁 오피스텔보다는 조금 낮게 잡았습니다. 오피스텔에 부과되는 관리비를 아낄 수 있으면서 공간은 더 넓고 환기도 잘 되는 빌라의 장점을 부각시켜 다방과 같은 앱을 통해 세입자를 구하시게 해 드렸어요. 제 클라이언트는 공사비용을 많이 걱정했는데 다행히 그 빌라엔 융자가 안 잡혀 있었어요. 14채 중 1채를 전세로 돌리고 월세 보증금을 보태서 공사비용을 상환하고도 매달 임대료 소득이 생길 수 있다고도 설명해 드렸습니다.

특히, 담보주택 이율이 매우 낮았던 시기라서 이자도 많이 안 비싼 편이니 은행을 활용하는 것도 고려해 보시라고 말씀 드렸어요.

그렇게 해서 14가구 올 리모델링을 하고 세입자를 맞춰 인기리에 금방 임대를 할 수 있었어요. 임대 이후 세입자 관리는 주택 임대차보호법을 근거로 하여 세입자가 들어가고 나가는 관리를 깔끔하게 하셔야 한다는 것도 설명해 드렸습니다.

이후 제 클라이언트는 그 자체가 너무 재미있다고 하시면서 공부를 시작하셨는데 부동산 공인중개사 시험까지 도전하시고 합격하는 좋은 일도 생기셨다지요^^

(2013년 대전 빌라 리모델링 비하인드 스토리)

Flip Properties

플립핑(house flipping)은 낮은 가격에 부동산을 구매해 리모델링 과정을 거쳐서 현재 시세에 맞춰 판매해 시세차익을 꾀할 수 있는 일입니다. (미국의 HGTV의 Flip or Flop이란 프로를 보면 잘 알 수 있음. 미국에서도 시즌 9까지 제작 될 정도로 인기있는 프로그램.) 건물 가치의 상승(임대를 통한 가치상승)과 토지 가치의 상승이 동시에 이루어지면 이익의 극대화를 꾀할 수 있습니다.

부동산의 미래 가치는 예측하기가 매우 어려운데 이를 분석하려면 통계청의 인구의 변화, 예를 들면 서울 인구의 변화, 경기도의 인구 변화 등의 다양한 통계와 대한민국 국토부의 여러가지 국가정책, 토지이용계획확인원(토지이용규제 기본법에 근거한 토지의 이용 용도를 확인하는 기본문서)의 검토 등 많은 부분을 세심하게 검토해야 합니다. 자금을 융통하기 위해 금융 기관의 저금리 대출이 실행되는지에 대한 여부 등의 금융정책도 잘 살펴야 합니다.

간혹 카더라 통신을 믿고 남들이 하라 해서 또는 다들 우르르 하니, '나도 한번 해보자' 하는 행위는 위험합니다. 왜냐면 이번 부동산 급등 때도 집을 너도나도 영끌해 비싸게 샀던 분들이 지금 비싼 이자때문에 허덕이게 됐고, 거래급감으로 집값이 되려 떨어지니 고통이 이만저만이 아니거든요. (이런 식으로 크게 자금이 이동되는 금융정책의 큰 변화와 부동산의 가격 변화 등이 10여년에 한번씩은 늘 있는 것 같습니다.)

제 포트폴리오 중 '아파트가 아니어도 좋아'란 책에 소개된 주택 두 곳이 있는데 flipping을 실행한 경우입니다. 부동산 불경기 때 낡은 집을 저렴하게 사서, 디자인하고 수리해서 잠시 세를 놓거나 제가 살다가 시세차익을 보고 팔았어요.

제 케이스를 보신 후 저에게 디자인 의뢰가 들어왔는데 낡은 대전의 다세대 주택(구분된 집 12채로 구성된 다세대 건물)을 소유한 클라이언트였어요. 그분께 이 개념을 잘 설명해 드렸고 다세대주택 12가구 모두 리모델링을 해 그 건물을 성공적으로 임대를 하여 수익을 창출시켰어요.

FASHION SHOP DISPLAY

두산타워 2층
2006/07/06

코엑스 펜 얼라이브
2007/11/15

두산타워 2층
2006/07/06

지샵걸
2011/03/15

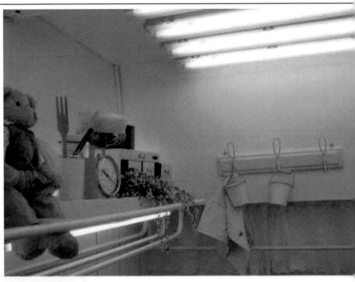

토모 아키라
2008/12/13

일산 리즈클럽 쇼윈도우 2006년

에스플랜
2012/06/08

두산타워 클래식 디스플레이
2013/06/19

안산 도노 디스플레이
2014/05/26

Visual merchandising

이는 시각적으로 꾀하는 상품화 전략 또는 효과적인 판매촉진 계획을 말합니다. 매장 구성이 되는 상품과 매장 환경인 인테리어, 디스플레이, 판촉, 접객 서비스 등 제반 요소들을 시각적으로 구체화 시켜 매장 이미지(S.I: store identity)를 고객에게 인식시키는 표현전략으로 상품의 가치를 높여 구매를 일으키도록 하는 계획 및 실행하는 일을 말합니다.

Display

매장의 쇼윈도우나 미술관 또는 집기에 상품을 전시(진열)계획하고 실행하는 일. (제 포트폴리오에서는 주로 쇼윈도우 표현, 마네킹의 패션 코디네이션 사진을 보실 수 있어요.)

3D DESIGN 시안

두산타워 3층 리모델링 공사 시안
2006/10/01

b#27(5.6)

T셔츠 매장 시안
2006/10/01

토탈 캐쥬얼 남성복 매장 시안
2006/10/01

b#9(44.58)

코너 캐쥬얼 샵 매장 시안
2006/10/01

natural zone 시안
2006/10/04

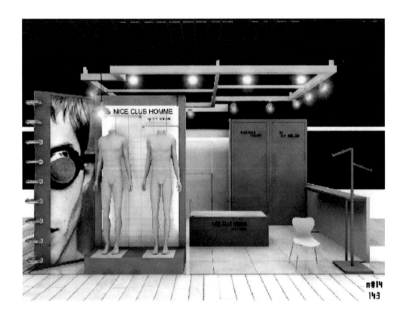

2010 여름 휴가공사 시안
2010/07/25

BEHIND STORY

2006/07/09

2006/07/10

2006/07/15

인력사무소를 통해 현장에 새로 오신 노신사

　현장에서 인테리어 세팅을 할 때 기술자가 아닌 분들은 가끔 인력사무소를 통해 현장을 청소하거나 보조하는 분을 충원해서 작업을 하곤 했어요. 2008년 더위가 시작될 무렵 인력사무소를 통해 제 현장에 말끔한 노신사 한 분이 오셨어요.

　그분은 오자마자 배낭에서 작업복을 갈아입으시고는 저한테 할 일을 물어 보셨지요. 저는 오늘 들어오는 자재들을 받아 어디로 옮겨야 하는지 알려드렸어요. 기구를 써서 다치지 않게 천천히 옮겨야 하고, 기술자들이 일할 때는 청소와 정리 등을 해야한다고 설명했죠. 현장 규모가 작으니 혼자서 하실 수 있을 거라고 설명 드렸어요.

　그분은 침착하게 일을 꼼꼼하게 잘 하셨습니다. 특히, 자재를 내릴 때 영수증을 찬찬히 보며 수량을 일일이 확인해 주시는 것이 좋았습니다. 그 후 제 현장에 몇번 더 오셔서 함께 일을 했죠.

　나중에 사담을 나누게 됐는데 그분은 모기업의 간부를 지내시고 퇴직을 하신 후 다른 회사에 다시 근무하기로 하셨답니다. 몇달 공백이 생겼는데 공백기간에 쉬는게 심심해서 인력사무소에 찾아오게 됐다고 하셨습니다. 그래서 제일 먼저 오게 된 현장이 제 현장이었던 거예요.

아래는 그분이 하신 말씀입니다.

"권 실장님, 내가 이 현장에 올 때 기분이 참 좋아요. 내가 이런 동네(동대문 쇼핑몰 동네를 지칭)를 처음 왔는데 이곳에 재주가 많은 분들이 열심히 일하고 있는걸 보니 내가 다 뿌듯합니다. 나오면 운동도 할 수 있고 돈도 벌 수 있고 정말 좋아요. 내가 몇달 뒤부터는 다른 데 출근을 하지만 이곳이 잊혀지지 않을 듯 해요." 따님 이야기도 하셨는데 카이스트를 졸업하고 이번 달에 취직도 됐다고 활짝 웃으며 좋아하셨더랬죠. 환하게 웃으시며 말씀하시니 저도 덩달아 미소가 지어지는 날이었어요. (2007년 5월, 햇볕 좋은 어느 날에.)

뜬금 없이 현장에 오신 우리 엄마 이야기

이번 글은 너무나 오래된 옛날 일이지만, 제 일터에 처음이자 마지막으로 오셨기 때문에 기억이 또렷하게 나는 엄마와 일어난 현장 이야기 입니다. 프리랜서 초창기 시절이니 20년 정도 전이에요.

주말 새벽쯤 엄마가 전화를 했어요. 엄마는 경상도 분이십니다. "뭐하노? 니 요즘 연락을 와 이리 안 하노? 내 오늘 서울 간다." 전 오늘 일정이 바쁘다고 못 만난다 하니 화를 내십니다.

"니 집에도 잘 안 오고 뭐하고 사느라 이리 바쁘노? 내 오늘 아부지 보약 재료 살라고 경동시장 갈끼다. 간 김에 이모도 만날끼고." 전 그날 현장 세팅을 해야해서 동대문에 일정이 있으니 엄마에게 경동 시장과 동대문이 가까우니 동대문으로 잘 찾아오시라 했어요.

점심 때쯤 엄마가 동대문으로 찾아 오셔서 주위를 둘러보십니다. "정말 크네. 여기 전부 옷 파는 곳이가? 니는 여서 뭐하는데?" 폭풍 질문 시작 1단계.

전 엄마랑 점심을 먹고 현장으로 갔어요. 이 참에 내가 왜 바쁜지 설명을 해야겠다 싶었습니다. 걱정도 안하고 잔소리도 좀 안하시게 말이지요. (엄마는 취직을 안 하고 사니 큰일이 난 줄 아셨던 분^^)

현장에 들어가니 눈이 휘둥그레져서 엄마 특유의 속사포 질문이 쏟아졌어요.

"이 전등은 와 이리 이쁜데?", "이 색을 벽에 칠할 끼가?", "이 가구는 어데 놓을 꺼고?", "와 니 이거 디자인 다 했나? 아이구야. 이거 참말로 재밌겠네. 니 이런 거 하느라 그리 바쁜 기가?"

현장엔 기술자들도 좀 계셨는데 워낙에 특이한 제 엄마 캐릭터가 재밌으셨는지 웃으면서 엄마하고 대화도 10분정도 하셨어요. '아, 부끄러워진다.' 전 눈을 질끈 감았어요.

"아이고 선생님들요, 우리 막내이 좀 잘 부탁합니다. 지 바쁘다고 전화도 잘 안하고, 야가 성격도 대대해서 뭐하고 사는지 내 좀 궁금해서 함 와 봤어요." "아이구, 잘 오셨네요~ 어머님." 그렇게 기술자들 분들과 대화를 계속 하시니 전 더욱더 창피했어요.

점심시간도 끝났고, 엄마를 가시게 해야겠다 싶어서 엄마를 보며 "엄마 이모는 안 만나요? 우리 일 시작 해야 되는데. 바쁜 거 끝나고 집에 갈게요." 이렇게 퉁명스럽게 말했더니 "니 있으라 붙잡아도 내 갈끼다. 내 바쁘다. 오늘. 니 대대하게 하지 말고 잘해라~ 다들 수고 좀 해 주시오~" 하며 나가셨어요. (속으로 저는 아…. 다행이다^^)

저는 따라 나가서 다리 아프니 택시 타고 가시라며 택시비를 손에 쥐어 드렸어요. 엄마는 "내 다리 멀쩡한데 와 택시를 타노?" 하셨습니다. 그 말에 저는 "알겠어요. 엄마 그럼 이모랑 맛있는 거 사드셔용." 하니까 "알았다 고마 드가라." 하시며 바쁜 걸음으로 한약재가 든 배낭을 매고 이모를 만나러 당신 갈 길을 후다닥 걸어가셨어요. 에너자이저 우리 엄마, 경기도의 골목 대장!

그곳 하늘나라에서도 여전히 친구도 많으시고 재미나게 잘 지내시나요? (2003년 현장에 찾아오신 엄마 이야기)

몽골에서 온 앳된 22세 청년이 현장에서 축하 받은 사연

　선배 언니의 옆 현장에 동자승처럼 까까머리를 한 앳된 얼굴의 몽골 청년이 새로 합류해 일하고 있었어요. 현장에서 몇 번 봤는데 말투는 어눌했지만, 표정이 생글생글하고 인사도 잘 했어요.

　어느 날 그 언니의 현장도 보수 중이길래 저는 현장 안으로 들어갔습니다. 갔더니 음료와 다과 파티가 벌어져 있었어요. 선배에게 무슨 일 있냐고 물었더니 몽골에서 온 그 청년이 오늘 아침에 아기 아빠가 됐다고 했어요. 선배 언니가 그 이야기를 듣고 간단한 파티를 열어줬나 봐요.

　"우와, 나이가 어려 보이던데 벌써 애기 아빠야?" 하고 제가 물었더니 선배가 대답했어요.

　"응, 애기 아빠는 22살이고 애기 엄마는 20살이래."

　선배 언니가 애기 낳아서 축하한다고 현금이 든 돈봉투를 그에게 주었는데, 저도 그 안에 5만원을 넣어줬어요. 그랬더니 과자를 함께 먹던 그곳의 기술자들도 조금씩 돈을 모아 봉투에 넣기 시작했어요. 다들 3만원, 2만원 조금씩 현금을 보탰죠. 순식간에 봉투는 두꺼워졌답니다.

　우리는 청년에게 아기 엄마가 몸 보신하게 몽골로 돈을 얼른 부치라 했죠. 청년은 봉투를 받으며 고맙다고 눈물을 글썽거렸어요.

잠시 후 저는 다시 제 현장으로 걸어가면서 아기와 산모가 건강하길 기도했어요.

(2006년 4월의 어느 날, 아침 보수작업 하러 가서.)

앗, 현장에 싸이코 사촌 정도 되는 사람이 난입했다

늘 이런 일이 일어나는 것은 아니지만, 그분이 워낙에 독특(?) 하셔서 그 일이 지금도 또렷하게 기억이 납니다. 두산 타워 리모델링 때 일어난 일입니다. 많은 분들이 그 현장에 투입이 됐어요. 엔지니어링 회사의 담당자, 전체 공사에 대한 현장 감리자, 각 인테리어 회사들, VMD 담당인 저하고, 보안안전관리자 등등.

아침시간에 미팅을 하고 각자의 공정이 겹치지 않게 현장관리를 시작합니다. 파트가 잘 돌아가게 늘 점검했죠. 그날도 사무실에서 미팅을 하고 현장으로 내려갔어요. 현장은 위험해서 접근 금지이고 아침 정해진 시간만 접근이 가능했어요. 내려가는 중에 핸드폰으로 누군가에게 전화가 와서 받아보니 점주(20대 후반쯤 된 젊은 남자 점주) 중 한명이 자기 현장에 있다는 겁니다.

저는 순간, '어 여기 출입증 있는 관계자만 들어올 수 있는데 어떻게 들어왔지?'하고 생각하며 현장으로 갔어요.

14개 부스를 담당한 저는 정해진 시간 동안 아침마다 14군데를 점검하느라 바빴습니다. 그분의 부스에 갔더니 화난 얼굴로 그분이 저에게 대뜸 손가락질로 "이건 왜 이런 거예요? 저

건 뭐에요?" 하며 인상을 쓰며 질문을 해댔어요.

저는 뜬금없는 질문에 대답을 해주고 그분께 "점주님, 여기 지금 들어오면 안돼요. 안전모도 없고 신발 그런 거 신고 다니시면 다칩니다. 아무것도 설치 안 된 부스밖에 없어서 아무것도 이야기드릴 게 없어요. 나가셔야 해요."라고 말했더니, 대뜸 "야! 네가 뭔데 나한테 이래라 저래라야. 어?" 하며 반말을 하는 겁니다.

아침부터 이게 웬 날벼락이지? 제 분노 게이지가 시동을 켤 준비를 하고 있었어요.

"점주님, 진정하세요. 여기서 하실 일은 없어요, 지금은. 조금 있으면 구조물 들어올 거고 현장 위험해요. 어서 나가세요." 저도 단호하게 말했어요. 무엇보다도 그날 점검할 게 많았기 때문에 마음도 초조해졌고, 시간이 엉뚱하게 흘러가는게 아까웠어요. 멀리서 전체 공사를 감리하시는 책임자 분(최00 실장님)의 서둘러 달라는 손짓도 보였습니다. 엉뚱한 시간이 2, 3분 실랑이하며 흘러갔어요.

기분이 좀 안 좋아 보인 그분이 저에게 반말을 남발하기 시작했어요. "야, 너 뭐 이따위 일 하는 주제에 어쩌구 저쩌구." 도가 넘는 횡설수설을 하는게 아니겠어요? 저는 속으로 '아무리 내가 지금 몰골이 피폐해도 그렇지 왜 그렇게 말하는 거지?'라며 화가 많이 났어요. 저도 모르게 훅 화가 올라와서 그만 참지 못하고 "야! 나이도 어려 보이는데 너 왜 계속 나한테 반말

이야? 야! 너 나 알아?"라고 말해버렸어요. 그분은 그 말에 아래위로 보며 저를 보며 위협적으로 한걸음 다가 왔어요.

저는 뒷걸음질치며 제 손의 도면 화일을 옆으로 떨어뜨려 버렸고, 10살때 오빠에게 배운 주먹을 불끈 쥐는 어설픈 태권도 방어자세를 취해버리고 말았습니다. (전 어린시절 오빠와 뛰고 뒹굴며 터프하게 태권도와 레슬링 좀 하며 자랐더랬죠.)

속으로 겁은 좀 났지만, 너 나 건드리면 나도 참지 않는다구! 뭐 그런 기분이었어요. 시끄러운 소리에 곧바로 옆 현장에서 사람들이 몰려 왔어요. 사람들은 그 남자와 저 사이에 인간 벽을 쳐주며 저를 옆쪽으로 피신시키고 말렸어요.

이윽고 옆 부스에 있던 인테리어 남자 사장님께서 오셔서 그분을 점잖게 달랬어요. "점주님 여기 위험합니다. 나가셔야 해요." 그 점주는 더 흥분했어요. 제가 '경찰에 신고를 해야 하나?'라고 생각할 무렵, 갑자기 우리 뒤에서 귀가 찢어질듯한 사이렌 소리가 들렸어요.

우애애애앵 우애애애애앵~~~(민방위 훈련 공습경보 때 나는 소리)

우리 옆에 웬 확성기가 보이더니 귀 찢어지는 더 큰 고함 소리도 났어요.

"야! 네 머리 위에 있는 쇳덩어리 안보이냐! 야! 너 이거 머리에 맞고 죽고 싶어? 안전모도 없이? 오늘 자재하고 장비 너 딱 죽기 좋다. 너 안 죽으려면 당장 여기서 나가아아아!!!"

전체 현장 감리자의 우렁차고 터프한 목소리와 귀가 찢어지는 사이렌 소리였습니다. 아침 점검 시간이 지나니 장비들과 자재들이 들어오기 시작한 거죠. 쿵쿵 소리도 좀 났어요. 우리 머리 위 옆쪽을 올려 보니 쇳덩어리 H빔이 크레인에 달려 움직이고 있었고, 거기 모여 있던 모두가 으어어! 하며 놀라서 우르르 뛰어 모두 다 오피스로 피신을 했어요.

저도 엄마야! 하며 후딱 달려 나갔는데 그 뒤로는 그분은 어찌 되었는지 저는 잘 모르겠더라구요. 바로 다른 업무를 해야 했던 상황이었어요.

오후에 최00 실장님께 상황을 물어보니 대답해 주셨어요. 우르르 웅성거리며 모여있는 우리들을 보고 현장에 뭔 일이 났나 궁금해 뒤에 가서 상황을 살짝 보니 우리들이 이상한 사람에게 좀 쩔쩔매고 있는 거 같아서 사이렌 크게 울리고 크레인도 우리 쪽으로 돌려 보여주고 소리도 지르셨다고요. 한 마디로 쫓아내려고 그러셨다네요. (오, 나이스~!^^)

그 점주는 미로 같은 현장에서 비상구를 찾아 혼자 헤매던 거 같은데 일부러 모르는 척 두고 보다가 잠시 후 나가는 문을 알려주셨다고 하셨어요. 우리 모두는 그 일을 웃고 넘어갔어요. 요즘 같으면 마냥 웃을 일은 아닌 거 같은데 말이죠 ㅜㅜ

휴~ 그나저나 그 당시에 그 분을 내 쫓아 주셔서 진심으로 감사합니다.

(2006년 두타3층 웃픈 현장 이야기)

'그땐 그랬지' 이야기

지금 일어나고 있는 많은 변화들이 예전 기억과 오버랩되어 느껴지는 이유는 IMF라는 국가적 금융 위기 당시 동대문 패션 시장도 많은 변화와 성장이 있었기 때문입니다. 그 금융 위기 때 실직한 디자이너들이 동대문이라는 패션시장으로 많이 모여 부흥기를 이끌어 낼 수 있었구요. 저 또한 그 중의 한 명이었어요. 리테일 샵이 곧 우리세대의 놀이터였고, 일터였습니다. 그때는 그랬는데.

최근 폴로샵의 쇼룸을 열심히 구경한 일이 있습니다. 집에서 앱을 다운받아 핸드폰으로도 가능했습니다. 이처럼 놀이터는 바뀌어 버리고 말았습니다. 틱톡이나 여러가지 앱 안에 우리의 놀이터가 있고 일터가 있습니다.

사회가 이렇게 빨리 바뀌다니 놀랍기만 해요. 제 메모리는 너무 다이나믹하게 바뀌어지고 있어요. 한국이 고속성장을 한 것도 하나의 이유고, 최근 코로나 이후 더 빠르게 천지개벽을 한 느낌입니다. 변화의 속도를 보아하니 코로나 이후 세상의 산업 환경도 개편되고 있네요. 글로벌 공급망의 체계가 다시 변화되고 있고, 계속 진화 중인 것 같아요.

아울러 인력난과 고비용 구조 해결을 위한 로봇과 AI 산업 및 공장 자동화의 성장은 더더욱 가속화 될 거라는 확신이 듭니다.

자동화가 되고, 로봇이 일을 다 하게 되고, ChatGPT가 기획도, 생각도 다 해주고 인간이 하는 일들을 그들이 다 해준다면? 편해져서 마냥 좋기만 할까요? 아니면 무슨 재미로 살까요? (최근의 생각)

내가 상담, 미팅만 했던 의뢰인이 신문에 대문짝 만하게 대서특필 되다

제가 2015년 해외로 이민을 가게 되고, 다른 곳에 살고 있는 동안 한국의 인터넷 쇼핑몰은 글로벌하게 쑥쑥 성장해 있었습니다. 하루는 어쩌다 한국 신문을 보게 됐는데, 신문에 어디서 본듯한 얼굴과 인터뷰 기사를 보게 됐어요. 누구였지? 기억이 가물가물하던 찰나, '어? 예전에 나랑 미팅했던 젊은 여성 대표였는데. 언제더라?'

2006, 7년쯤 그분을 회사 초창기에 미팅한 기억이 떠올랐어요. 그때 회사를 넓힐 계획이라며 디자인 미팅을 했던 분입니다. 반가움이 밀려왔죠. 저와는 미팅만 하고 함께 일할 수 있는 인연은 닿지 않았던 회사. 그 회사가 로레알에 무려 6,000억에 매각 됐다는 기사였어요.

바로 K 패션의 스타트업의 성공신화를 쓴 스타일00 대표의 인터뷰 기사였어요.

정말 깜짝 놀랐다구요! 6,000억이라구요? 대애박! 와우! (2018년 싱가폴에서 기사를 보고.)

베트남, 말레이시아에서 스카웃 제의가 자꾸만 오더니 지금 동남아 지역은 경제부흥의 시대

2008년 즈음에 저에게 스카웃 제의가 많이 들어왔어요. 주로 동남아 지역의 현장 담당인데 한국의 기술을 많이 필요로 했나 봅니다. 제 블로그를 보고 그곳의 재래시장을 현대화 하고 싶다는 쇼핑몰 부동산 개발자들이 제 연락처로 연락을 했어요. 예쁘게 디자인하고 상가를 활성화할 VMD 담당이 필요하다고 말이죠.

전 그때만 해도 한국에서 살 생각이었어요. 여행 외에 다른 나라에 사는 건 생각한 적도 없었지요. 그래서 수락하지는 않았습니다.

이후 2015년부터 싱가폴에 살게 되면서 이웃 동남아시아 국가(말레이시아, 태국 등)들을 방문해보고는 다이나믹하게 발전 중인 그 나라의 산업환경을 직접 보고 느낄 수 있었습니다. 지금도 그 나라들의 경제는 성장 중일거라 생각해요.

저물어가는 2023년. 현재의 소소한 생각.

    제 블로그의 이야기가 오래 전 이야기라서 조금 지루한 듯해서 최근의 제 관심사에 관해 이야기하면서 비하인드 스토리의 마무리를 지을까 해요.

    저는 싱가포르와 아부다비를 거쳐 이곳 미국으로 왔습니다. 그게 4년 전이예요. 두 나라 다 도시에서 살아서(고층아파트의 생활) 미국 시골의 생활은 전혀 몰랐습니다. 미국 남부 특유의 억양으로 말도 잘 안 들렸고… 어쨌든 막막했지만, 주변을 관찰하기 시작했어요. 정보를 모으다 보니 이곳 노스캐롤라이나주를 빙 둘러서 마을마다 빈티지 마켓이 크게 약 36개 정도가 형성돼 있는 것을 알게 됐지요. (NC VINTAGE TRAIL)

    그곳을 여행하며 탐험을 좀 하려 했으나 코로나가 터지고 민심도 흉흉해져서 (아시아 혐오 정서, 총기사고가 가끔 일어남 ㅜㅜ) 잠시 중지했었어요.

    몇 군데는 가 보았는데 미국의 초기 이민자들이 사용했던 옛 물건들과 가구 및 소품 등이 많았고 매우 흥미로웠습니다. 산업혁명 초기에 대량생산 된 유럽의 식기들, 이곳에 온 유럽 초창기 이민자(이곳은 독일 이민자들이 많았다고 함)들의 기타 생활소품들. 그 모든 게 신기했어요. 초기 유럽인들이 미국을 개척하면서 사용한 오래된 옛 물건들을 보며 그들의 삶의

애환도 느낄 수 있었습니다. (그것에 대한 이야기는 제 블로그를 통해 계속 기록하고 싶고 작은 비즈니스도 하고 싶답니다^^)

지금 보여드리는 사진은 그 계획을 실행하려면 트럭이 꼭 필요할 거 같아서 며칠 전 남편과 함께 이곳에 있는 테슬라 전시장에 방문해 테슬라 사이버 트럭을 보고 있는 사진이에요.

그리고 옵티머스란 녀석도 만나고 왔죠. 이 녀석 손도 쓱 만져 봤답니다. 영화 터미네이너에 나온 기계 악당과 같이 생겼는데요. 전 이 녀석이 미래의 일꾼이 될 거 같아요. (미국은 불법 이민 노동자로 골치를 앓고 있는데요. 그리고 치솟는 인건비, 물가의 문제도 크지요.)

그래서 미국의 산업은 혁신적으로 여전히 진행 중입니다.

에너지산업과 글로벌 원자재 공급망의 변화도 꾀하고 있고, 로봇공학, 인공지능, 나노기술, 양자 프로그래밍, 생명공학, 자율주행차량 듣기만 해도 어려운 기술들의 발전이 쑥쑥 진행되는 중이에요.

4차 산업혁명의 시대에 우리가 지금 살고 있는 거죠. 공학의 공…도 모르는 저는 테슬라 전기차 전시장에서 전시된 로봇을 직접 보니 그런 시대가 오긴 왔나보다 라고 실감이 되었어요. 많은 미국인이 테슬라 사이버트럭과 옵티머스를 보며 좋아하고 신기해하고 있었습니다. 노스캐롤라이나 시골까지 이런 로봇이 전시되어 있다니. 로봇 세상의 실현이 생각보다 빨리 될 수도 있겠다… 그런 생각이 확 와 닿았어요.

집으로 돌아오는 차 안에서 제 머릿속 상상 공장을 가동해 보았답니다. 저 멋진 사이버 트럭에 빈티지 가구와 소품을 싣고 옮기며 넓은 차고가 딸린 집에서 스몰 비즈니스를 하는 제 미래의 모습을 상상하고 떠올려 보았어요.

테슬라 자율주행차를 타고 무인 모드로 어디 어디로 간다고 입력만 하면… 운전대에 손도 안 대고 그 장소에 도착하고 제가 선택한 소품들은 옵티머스 저 녀석에게 이것 좀 차에 실어놓겠니?라고 말 한 마디만 하면 바로 착착 옮겨놓는다라는… 아. 그리고 블로그 글쓰기도 CHATGPT한테 시켜버려야 하나??? 이런저런 상상을 했어요. (상상은 자유~~)

현재에는 가당치도 않은 미래 영화 속 장면 같은 희망 사항이지만… 가능할 거 같기도 하지요?

(저물어가는 2023년 12월 어느 날. 옵티머스를 보고 나서)

연락처

카카오톡ID violetlifetour

유튜브 youtube.com/@violetlifetourkwon1912

이메일 522violet@kakao.com

블로그 https://blog.naver.com/522violet

에필로그 - 글을 마치며

　한국을 떠나온 지 어느덧 10년 가까이 되었군요. 싱가폴과 아부다비를 거쳐 이곳 미국에 정착하게 되어 환경이 여러 번 바뀌고 그동안은 블로그 관리가 좀 소홀했어요. 가정주부라는 새로운 역할이 저에게 주어졌고, 제 본업은 2순위로 밀려 살게 되었지요. 그래도 가끔은 머물게 되는 나라에서 파트타임 일도 찾아서 했었고 일어났던 소소한 일도 블로그에 남겼어요.

　제 블로그는 싱가폴에서 아동복 샵의 파트타임 일자리를 구할 때도 유용했었고, 이곳 미국에서 영어가 부족함에도 불구하고 남자 캐쥬얼 브랜드의 샵 매니져 정규직 자리에 도전하여 취업에도 성공할 수 있게 해준 아주 고맙고 기특한 '기록'입니다.

　제가 어떤 사람인지 알리는 수단으로 기능을 톡톡히 해냈던 제 블로그는 이렇게 압축되어 한 권의 책으로 나오게 되었습니다. 이 책은 디자인 이론서나 매뉴얼같은 학술적 서적과는 거리가 멀어요. 시중에는 기획할 때 필요한 디자인 전문서적, 또는 감리자가 시공을 할 때의 시공 전문서적, 또는 설계자의 설계 서적, 소재 관련 서적, 전문 서적으로 넘쳐나지요. 그러나 이 책에는 그러한 기술적 내용은 많이 담지 않았습니다. 실제 해보고 겪지 않으면 알지 못하는 소소한 일들과 사건들에 대한 뒷이야기들이에요.

일이란 것이 이론처럼 착착 진행되는 건 아니고 변수가 참 많습니다. 호기롭게 시작해도 어려운 변수들이 생기면 현타가 오지요. 때로는 제자리 걸음일 때도 많았으나, 길게 보니 저는 그 경험으로 성장하고 있었고 경험이 쌓이니 세상을 이해하는 시야의 폭이 넓어질 수 있었어요.

책을 쓰는 동안 행복한 기분이 들었습니다. 타임머신을 타고 천천히 과거로 날아가 어리고 열정 넘쳤던 제 자신과 다시 만날 수 있었어요.

저는 조금은 내성적인 편인데 관찰자로서 주위에 대한 호기심은 좀 많은 성격입니다. 작업이나 작품과 같은 간접적 방법으로 제 내면의 스토리를 표현하는 것이 더 익숙해요. 제 자신은 평소엔 조용한 편이고 재미도 없는 사람이지만, 상상하기도 좋아하고 재미있는 것을 찾아다니며 실행하기도 하는 엉뚱한 면도 있습니다.

요즘 나오는 TV 프로그램에 젊을 때 저와 비슷한 면이 있는 두 유명인이 있어서 매우 반가웠어요. 〈나 혼자 산다〉라는 프로그램에 나오는 두분 인데요. 기안84라는 웹툰 작가와 김대호 아나운서 라는 분이세요. 알고 보니 그 두 분이 MBTI까지 저와 같은 유형이시더라구요. INTP 유형은 남자보다는 여자가 더 없다고 하더군요! (그래서 저는 자칭 '조용한 여자 사오정'! 반백년 살다 보니 지금은 자기객관화가 아주 잘 되어있습니다. 하하^^)

책을 쓰겠다고 결심하고 나니 '누가 이 책을 읽을까? 읽는 분 들은 과연 재미있어 할까?' 하는 생각으로 이야기를 어떻게 써내려 갈지 고민하던 끝에, 그 당시 일어났던 일들과 주변 환경 그것을 통해 제가 어떤 생각을 했고 또 어떤 느낌이었는지를 에피소드로 보여드리는게 좋겠다고 생각했어요. 그래서 기억을 더듬어 당시 제가 겪은 기억나는 일들로 몇개의 스토리를 구성하게 되었습니다.

디자인과 공간은 제가 직업을 갖고 세상과 소통하며 성장하며 살게 해준 매우 고마운 소통 매개체였어요. 사회인으로 돈을 벌게 해주었고, 사람도 많이 만나게 했고, 공부도 하게 하고, 또 울고 웃고 행복한 성취감도 느끼게 해 주었어요.

책에 등장하신 외향적 성격의 잔소리쟁이 제 어머니는 열정적으로 사업도 하시고, '멋진 인생'이라는 작품을 완성하시고 몇 년 전 하느님이 계신 곳으로 먼 여행을 떠나셨습니다. 엄마가 예쁘다고 하신 그 조명을 보니, 엄마 생각이 나서 사랑하는 마음을 담아 그날의 이야기를 쓰게 되었어요. 또 소소하거나 큰 사건들에 대한 이야기도 담았습니다.

어느 날은 현장 옆 늘 가는 편의점에서 계산하려고 줄을 서

있었는데, 큰 마대에 잔뜩 쌓아놓고 파는 걸레가 무심결에 눈에 들어왔습니다. 순간 '저걸 한꺼번에 쓸 일이 있을까? 있다면 현장에 스프링쿨러가 터져서 물바다가 되면 저 정도가 필요해질까?'라는 시답지 않은 생각이 들었어요. 곧이어 '스프링 쿨러가 터지면? 현장이 물바다가 되면?'이라는 쓸데없는 생각이 꼬리를 물었고 '그렇게 된다면 난 무조건 물이 나오는 파이프부터 잠그고 최대한 빠르게 저 걸레로 닦아야지'라고 결론을 내렸어요.

편의점 계산대 앞에서 잠시 하게 된 생각이었습니다. 그러나 그 상상이 현실이 될 줄 누가 알았겠어요? 파이프가 터져 물벼락을 맞고 멍 하니 버퍼링에 걸렸다가 순식간에 그 상상대로 빛의 속도로 몸을 움직이는 순발력이 발휘되었습니다. 쓸데없는 상상이 정말 큰 도움이 되었던 순간이었어요.

그리고 이 책에 등장하지는 않았지만, 저와 함께 한 기술자들도 매우 대단하셨다고 생각합니다. 외국 나와 살아보니 저와 함께 일했던 한국의 기술자들은 무척 빠르고 정확하고, 그리고 근면한 분들이었다고 확신이 들어요. 저는 그분 모두를 존경합니다.

그 외 협업하셨던 많은 프로페셔널한 디자이너 회사들에게도 고마운 마음입니다.

제 작업 포트폴리오는 보기도 쉽고 읽기도 쉬운 내용입니다. 패션샵 공간을 디자인하거나 부동산을 리모델링하거나 또

는 관련업을 하시지 않으시더라도 모두가 가벼운 마음으로 보셨으면 좋겠습니다. 여러분! 모두 행복하세요~

-저물어가는 2023년 초겨울.

공간, 디자인, 그리고 기록

에이미의 포트폴리오

발행일 | 2024년 1월 12일

지은이 | 권영아

펴낸이 | 마형민

기　획 | 신건희

펴낸곳 | (주)페스트북

주　소 | 경기도 안양시 안양판교로 20

홈페이지 | festbook.co.kr

ISBN 979-11-6929-438-6 13650

값 15,000원

* (주)페스트북은 '작가중심주의'를 고수합니다. 누구나 인생의 새로운 챕터를 쓰도록 돕습니다. Creative@festbook.co.kr로 자신만의 목소리를 보내주세요.